D0129987

Dans la même Collection :

Gaston LEROUX :   *Le dîner des bustes.*

Guy de MAUPASSANT :   *La serre, Mots d'amour,*
La mère aux monstres,
Confessions d'une femme.

Edgar Allan POE :   *Le puits et le pendule,*
Le portrait ovale.

Miguel de CERVANTES :   *La force du sang.*

Horacio QUIROGA :   *Le spectre,*
La poule égorgée.

Théophile GAUTIER :   *La morte amoureuse.*

Octave MIRBEAU :   *Veuve,*
Paysage de foule.

CRÉBILLON fils :   *Le sylphe.*

STENDHAL :   *Le coffre et le revenant.*

Léon BLOY :   *La tisane*
Une idée médiocre,
Propos digestifs.

Ilmar JAKS :   *Les vagues, Le conseiller Wenzel,*
Chute de neige,
Des pas dans le vestibule.

Léon GOZLAN :   *La main cachée*
Un petit malheur.

Denis DIDEROT :   *Sur l'inconséquence du jugement*
public de nos actions
particulières.

Pedro A. de ALARCON :   *Le clou.*

Georges-Olivier CHATEAUREYNAUD :
Zinzolins et Nacarats.

Jean-François MARMONTEL :
Le mari sylphe.

Charles Baudelaire

Le jeune enchanteur

Nouvelles et Contes

Alfil

LE JEUNE ENCHANTEUR

Histoire Tirée
d'un Palimpsestre d'Herculanum

Pendant les fouilles faites en présence du roi de Naples lors de la restauration de 1815, on trouva dans une des chambres de la maison d'Alcmœon une grande fresque d'une beauté très particulière, qui représentait un groupe de nymphes, dont les yeux étaient tournés vers une figure principale. Derrière celle-ci, un jeune Amour, penché galamment vers son oreille, avait l'air de lui chuchoter quelque mystère. La grâce exquise des formes, le geste vif et empressé du petit chuchoteur, l'aimable tournure des nymphes, et même le singulier éclat des couleurs que dix-sept siècles au moins avaient respecté, attiraient les yeux de tous les artistes et de tous les connaisseurs. Naturellement, l'imagination italienne se mit bientôt en quête de trouver une explication et un historique à cet incomparable morceau. Chaque jour donnait naissance à quelque nouvelle interprétation, mais le caractère essentiel de la probabilité manquait à toutes également.

Cependant l'histoire de la fresque mystérieuse n'était pas destinée à être un secret éternel. Dans les premiers mois de l'année 1836, un des papyrus, qui sont maintenant soumis à un excellent procédé de déroulement inventé par le chevalier Collini de Naples, fut ouvert, et laissa voir aux yeux surpris la fresque, — en miniature, — en tête de la première partie du manuscrit. Le papyrus, déroulé en entier, contenait la présente histoire, sur laquelle avait été incontestablement fait le dessin dont elle était illustrée, histoire que nous donnons avec toutes les mutilations que la fragile matière du rouleau à moitié calciné rendait inévitables. La plus formidable de ces lacunes se trouve juste au commencement; elle défie encore l'érudition de toutes les académies italiennes, et laisse le champ libre à leur industrie imaginative.

....
....
....
....

« Ô Callias! je suis las du monde.

— Vous vous trompez, Sempronius; vous êtes las de tout, excepté du monde.

— Je sais ce que je dis, Callias, et je parle sérieusement. Mais comment vous persuader, comment vous faire croire à quelque chose? Vous, Callias, sceptique de profession; vous, bel esprit athénien; vous, insouciant écumeur connu dans toutes les mers de plaisir de la Grèce et de l'Asie; vous, ô Callias, phalène qui roulez de fleur en fleur à travers tous les jardins de la folie humaine, comment pourriez-vous croire à cette lassitude infinie, à ce dégoût profond de tout ce que la terre contient? Mais vous êtes un animal épicurien!

— Non, mélancolique philosophe, vous vous trompez encore. Je suis un véritable Epicure; délicat dans mes goûts, réservé dans mes accointances, tendre dans mes amitiés et mes amours, je ne suis cruel et dédaigneux que pour mes pauvres maisons de campagne; et, de fait, le seul souci qui me tourmente pour le moment est de savoir si j'irai demain à ma villa sur les bords du Tibre, ou si je dois passer mes jours languissants dans la fraîche atmosphère de ma grotte, à Sunium, tant que durera le règne de cette amoureuse et pestilentielle étoile.»

L'astre de Sirius se levait, et l'éclat que lançait ce roi des constellations teignait d'une vive splendeur tout le golfe de Naples. Les yeux du jeune et beau Romain dardaient sur la nature un regard des plus intenses, et il soupira plutôt qu'il ne dit:

« Oh! que ne puis-je avec le désir secouer le poids de la vie, et prendre mon élan vers ces glorieux voyageurs de l'empyrée, aussi loin des soucis de notre monde qu'ils sont eux-mêmes loin des nuages impurs!»

A ces mots, par un mouvement dont il n'eut pas la conscience, il tira hors de sa gaine un petit poignard et le tint élevé à la clarté du soleil couchant, qui fit reluire la lame.

Callias se leva subitement et, éclatant de rire, rappela le jeune enthousiaste au sentiment de sa situation présente.

« Il n'y a que deux façons d'expliquer cela, s'écria le cruel rieur : un homme ne regarde ainsi les couteaux que par amour ou par vengeance ; conquérir une maîtresse, ou se défaire d'une épouse, tout est là ! Mais encore, vous, ô Sempronius, qui peut vous pencher vers de pareils désespoirs ? — Vous, notoirement et publiquement le plus admiré et le plus envié de tous les hommes qui ont voué un culte sincère au luxe, aux grâces et aux plus jolies jambes du Palatin, — vous, le tribun de la légion impériale ; vous pour qui les parfums viennent directement de la Perse, les robes, du pays miraculeux où les vers se font tisserands, et les joyaux, des bords inconnus de l'Indus ; vous le premier et le plus favorisé des adorateurs de la mode, quelle beauté oserait résister à vos innombrables séductions ? »

Telle fut la réponse languissante de Sempronius :

« Callias, je suis incapable de répondre à vos

railleries. Mais regardez là-bas cet esclave qui travaille et fatigue encore sous les derniers rayons de ce jour brûlant. A cette heure, je changerais avec joie mon sort contre celui de ce misérable. Vous me regardez avec de grands yeux! écoutez-moi, et vous me comprendrez. A cette heure présente, il ne peut pas être sous le ciel un être plus malheureux que votre ami Sempronius, quoique le monde entier, comme vous dites, l'entoure de ses sourires…»

En ce moment, les serviteurs qui vinrent annoncer le repas du soir l'empêchèrent de commencer son récit. Callias était immensément riche, et il avait le goût exquis d'un Grec; il conduisit son ami dans un triclinium, où il avait rassemblé un choix des plus belles peintures recueillies à grand-peine à Corinthe et dans les îles. Cet appartement, délicieusement sculpté et orné, regardait le couchant, et le soleil prenait plaisir à tamiser ses rayons cramoisis à travers le cristal des fenêtres.

«Vous voyez qu'ici, dit Callias, — non sans laisser voir dans un sourire l'orgueil satisfait du collectionneur, — j'ai suivi un plan différent de celui de vos Romains, qui font autorité en matière d'élégance. Ils placent leurs tableaux dans la lumière la plus large, dans l'endroit le plus clair et le plus public de leur appartement. Quant à moi, je les traite comme les amis de mon âme, je viens pour converser avec eux aussi loin que possible du tumulte général; et pour rendre notre conversation encore plus intéressante, je prends mon souper dans leur gracieuse compagnie.»

Son ami, malgré le poids qui opprimait son cœur, ne put s'empêcher de trouver quelque plaisir à l'exquise élégance qui brillait dans chaque objet que rencontrait son œil, et plus encore dans la disposition et l'arrangement des tableaux. Au lieu de les exposer tous également à la même intensité de jour, Callias les avait placés de manière que chacun ne pouvait recevoir de lumière que ce qu'il lui en fallait pour faire briller tous ses avantages dans leur expression la plus complète. — Une danse de jeunes Lacédémoniennes sur les bords de l'Eurotas — le soir — était située dans l'endroit où le soleil couchant jetait toute sa splendeur; les crêtes des montagnes brûlaient d'un feu court, mais naturel, et pour ainsi dire vivant; les forêts étagées sur leurs flancs balançaient des ombrages d'un or naturel; les casques même et les légers boucliers, que portaient les jeunes filles dans leurs aimables simulacres de guerre, étaient allumés comme de l'acier véritable par la toute-puissance des rayons.

Dans un coin très retiré, et ne pouvant être touchée que d'un très pauvre rayon lumineux, était une Incantation thessalienne, solennelle, sévère, terrible! La profondeur des bois, à travers lesquels se mouvaient de majestueuses formes de spectres, prenait un aspect encore plus sombre par le faible rayon qui ne servait, comme un léger pinceau, qu'à enrichir la sombre peinture de quelques touches plus claires.

Au-dessus, était encadré dans une bordure d'albâtre richement travaillé, un chef-d'œuvre d'Alcamène d'Ionie. C'était l'Olympe, et la scène décrite par Homère, où Vénus, dans l'assemblée des immortels, vient implorer Jupiter et le rendre propice aux Troyens. Avec cette prodigalité savante des millionnaires qui sacrifient des monceaux de richesses et des trésors de génie pour la jouissance d'une seconde, mais jouissance suprême, jouissance poussée aux dernières limites du possible pour les imaginations les plus délicates, — cette glorieuse production ne pouvait être vue et comprise qu'au moment où le soleil touchait l'horizon. Les deux amis purent se préparer à cette jouissance passagère et suprême, pendant qu'une pyramide de flammes grimpait lentement sur la surface du tableau. Toute la partie supérieure était donc ensevelie dans les ténèbres, quand la lumière commença à teindre le pied de la puissante montagne. Ce rayon dardé comme une flèche immobile, monta par degrés des vallées de vignes et d'oliviers jusqu'à la région nuageuse qu'un pied humain n'a jamais foulée. Une minute après, le rayon atteignit la région des immortels et les enveloppa d'une atmosphère d'or; tout ce qui était d'abord invisible, ou ne pouvait être entrevu qu'à travers de vagues ténèbres, brillait maintenant d'une excessive splendeur. Les trônes des diverses déités rangées en cercle dardaient les couleurs de tous les joyaux connus des orfèvres mortels, et des diamants connus aux dieux seuls. Le chemin qui conduisait au grand trône était pavé d'étoiles. Une gloire flamboyante de diamants était le voile qui enveloppait vaguement l'auguste présence du souverain des mondes célestes. L'invasion rapide d'un rayon — quand il traversa le cercle de grandeur et de beauté, — sembla le remplir d'une vie et d'un mouvement soudains. — Au centre restait encore une forme, voilée en apparence par un nuage, mais que le rayon toucha tout à coup et qui devint alors distincte, comme si un brouillard réel s'était évaporé et fondu sous ce baiser brûlant. Cette forme était Vénus courbée et suppliante devant le père des dieux! Toute sa beauté était délicieusement vivante; on eût dit qu'elle venait de soulever son beau front; son œil brillait de nouvelles splendeurs, et sa joue était injectée d'un double incarnat, poussé vers sa figure par l'agitation de ses sentiments et l'ardeur de sa prière. Son attitude était un mélange singulier de noblesse et d'humilité;

mais son visage, son indescriptible visage, était amour, et rien qu'amour! Callias jeta sur ce merveilleux ouvrage le coup d'œil glorieux de l'amateur; mais le jeune Italien poussa un cri, ensevelit sa tête dans les plis de sa robe, et se jeta lui-même au pied de la peinture, comme dans un accès d'adoration.

Quand il se leva, le jour était expiré; la peinture était dans la nuit; le tout avait disparu comme une œuvre de nécromancie!

....

....

« Ainsi, vous êtes déterminé à courir le monde, à traquer votre rêve, licorne inconnue, monstre innomé, à voir l'invisible, à trouver l'introuvable! Mon jeune et galant ami, écoutez mes avis, et laissez ces pérégrinations aux songeurs. Retournez à Rome; dites à votre excellent oncle que vous êtes parfaitement prêt à épouser la dot de sa fille, cette dot eût-elle l'impudence d'être dix fois plus riche; dites-lui que vous êtes un fils obéissant, et que vous n'avez nullement l'idée de contrarier la volonté de votre excellent père, la mariée fût-elle belle comme les trois Grâces et aimable comme la mère des deux Amours. Alors, ayant humblement accompli votre obéissance filiale, et donné une noce qui fera parler de vous dans Rome pendant vingt-quatre heures, coiffez-vous de votre casque, s'il vous prend encore des idées de voyage; allez honorablement vous battre contre les Parthes, ou éteindre le renom d'Alexandre, et bâtir des trophées sur l'Indus, — pour être un jour foulé par les semelles du sauvage, qui utilisera les ruines de votre mausolée pour y installer sa marmite, et pendre la crémaillère sur vos illustres os! »

Ainsi parla Callias, qui ne pouvait jamais mettre un mors à sa raillerie. Mais il eût probablement voulu retenir sa langue, s'il avait jeté un coup d'œil sur la physionomie de son ami. Le jeune Italien avait d'abord écouté avec un sourire incrédule et languissant, mais à la fin, le sujet le touchant de trop près, son sourcil se contracta, et la lèvre serrée et la voix tremblante d'indignation, il chargea le Grec des froides imprécations d'une colère concentrée.

« J'ai confié à vous, à vous seul, entendez-

vous, s'écriait le bouillant Romain, la malheureuse, — non, — la désolée, la lamentable
situation de mon âme. Je vous ai dit que la
folle, pour ne pas dire la féroce résolution de
ma famille, qui n'a pas voulu me laisser le
choix libre dans une affaire,— qui, de toutes
les affaires humaines, demande le plus de
choix, — m'a inspiré une horreur précoce
pour l'être à qui je devais alors sacrifier toute
raison, sentiment et volonté; et que, follement
accouplés dans notre enfance dans le bur-
lesque dessein d'apprendre à nous aimer, nous
en prîmes chacun une haine invincible l'un
pour l'autre, et nous nous séparâmes dès lors
pour ne jamais nous revoir!

— Résolution de deux enfants étourdis, dit
Callias, qui se tenait cette fois sur ses gardes, et
ne voulait pas pousser à bout son ami; — et ces
résolutions sont-elles des pactes indestructibles,
une religion inébranlable pour les années plus
mûres? il n'est rien sous les astres qui ne
change, et tout est chrysalide. Resterons-nous
l'œil fixé sur l'orient pour voir lever le soleil,
quand il s'arrange déjà un oreiller avec les

nuages du couchant? Votre cousine a maintenant passé l'enfance; elle est peut-être aimable
comme Hébé, et joyeuse comme Flore, la reine
des fleurs. N'avez-vous jamais eu la curiosité de
savoir quelle elle est depuis cette terrible
bataille que vous avez eue en nourrice?

— La revoir! répliqua Sempronius, elle!
cet instrument de tyrannie paternelle! jamais je
n'eus cette envie, et ne l'aurai jamais. Mon éducation, qui se fit à Athènes, me jeta d'abord
loin de Rome. Puis, un jour, j'enfourchai un
cheval, comme centurion de cavalerie dans la
légion impériale, et je fus commandé pour le
service des frontières de la Pannonie. Depuis,
j'ai vécu en Asie Mineure. Je n'ai jamais vu
Rome. Mais un mot vous suffira. J'ai vu, — ici
Sempronius fit une pause, — j'ai vu l'être qui
est fait pour remplir le vide de mon âme, et le
peupler à jamais. C'était à un banquet offert
aux officiers de la légion par le proconsul
Septimius, à notre arrivée à Ephèse. Tout fut,
vous le présumez, noble et somptueux. Mais
tout fut éclipsé par le spectacle qui eut lieu
dans les jardins du palais, et fut joué par les des-

20

servants du temple. C'était un drame dans le goût de ceux qu'enfantait l'imagination d'Ovide, court, mais délicieusement rendu; c'était une fable sur le pouvoir de l'amour. Le petit dieu figurait sous cent formes diverses, tantôt en guerrier, tantôt en poète ou en musicien, d'autres fois en roi, et d'autres fois il paraissait en marchand chargé d'une pacotille de trésors et de bijoux, le tout pour entreprendre le cœur d'une belle fille. Mais aussi, quelle conquête que celle sur qui le jeune enchanteur essayait tous ses pouvoirs! Je n'ai jamais rien vu, rien imaginé de plus beau, ni de plus aimable! Tout ce que la poésie a inventé de mieux, tout ce que ma fantaisie avide a revêtu de grâce et de charme, de beauté et de noblesse, fut jeté dans les ténèbres de l'oubli. Devant moi se mouvait, vivait, regardait, soupirait la beauté essentielle, telle que Vénus s'élevant du sein des lames salées, ou Pandore descendant des portiques de l'Olympe. Je sentis alors que ma destinée était dite, mon arrêt écrit, et à jamais! La conviction perça le profond de mon âme en un instant. Je sentis que c'était clair, brillant, acéré, lumineux, comme les flèches de la vérité. Je ne puis vous dire ni vous expliquer avec quelle anxiété toute nouvelle j'étudiai la marche du drame, et combien j'entrai violemment dans tous les intérêts de cette petite scène. Je me pris à trembler de tous mes membres, quand je la vis successivement tentée par la flatterie enivrante de la poésie, par la promesse de tout ce qui peut chatouiller le cœur de l'orgueil, par les joyaux et par l'or, que le jeune et puissant magicien de nos passions étalait sous ses yeux, — entassant vision éblouissante sur vision, et faisant succéder des tentations de plus en plus dangereuses devant la plus dangereuse des filles de la terre. Elle résista à toutes, et je sentais mon cœur battre d'une manière furieuse et inaccoutumée à chaque nouveau triomphe; un seul stratagème restait. Les nobles palais, les bosquets dorés, les royales retraites dans lesquelles l'enchanteur avait évoqué ses visions de luxure, d'orgueil et de richesse, s'enfuirent comme des songes. La scène fut un simple jardin, avec une grande vue sur une belle montagne au bord de l'Hellespont. La jeune beauté était maintenant assise sur un amas de roses fraîchement effeuillées, et écoutait un discours que lui faisait un jeune homme dans le simple accoutrement du berger d'Ionie. Sa figure et sa contenance étaient nobles, mais ses paroles étaient la simplicité, la passion, l'éloquence mêmes. Je n'ai jamais rien entendu d'aussi parfaitement bien dit. Il ne lui offrit ni la pompe, ni la richesse du monde, mais il mit à ses pieds un cœur débordant d'amour, de foi et d'honneur. Si elle avait résisté à cette prière, elle eût été plus ou moins qu'une mortelle. Elle ne fut ni l'un ni l'autre, elle fut femme, — vraie comme la nature, et sensible aux plus douces impulsions de la nature. J'avais triomphé dans sa résistance, je triomphais maintenant dans sa soumission. Je vis avec délices que cette beauté digne d'un être céleste n'était pas une beauté de statue. Ma joue rougit instinctivement, quand la rougeur se répandit sur la sienne. Une larme qui tomba de sa paupière fut suivie par mes larmes, et il me semblait que mon âme s'en allait avec elles. Avec un soupir et un sourire, elle reconnut le pouvoir du cœur sur le cœur et se laissa choir avec les pleurs silencieux de sa joie sur le sein de l'Ionien. A ce moment, le tonnerre roula avec fracas, la décoration s'éleva comme un nuage qui s'envole, et au lieu du simple jardin de l'Hellespont, nous vîmes les immortels bosquets d'Idalie. L'Ionien était l'Amour lui-même rendu à sa forme première; aimable, puissant, folâtre et semblable à un roi. Le jeune dieu, porté sur ses ailes de pourpre se glissa entre les bras de la belle créature, et la couronna d'amarante en présence des nymphes, comme souvenir de sa métamorphose en immortelle habitante des bocages de l'île d'Amour!

— Et ainsi, dit Callias — avec un regard froid, son esprit satirique l'ayant préservé de toute émotion — vous êtes tombé amoureux d'une des danseuses du temple. Les glaces du cœur sont faciles à fondre sous ce bon climat d'Asie; je présume qu'elle écouta complaisamment la répétition que vous fîtes du rôle de l'Ionien. »

Sempronius porta la main à son poignard.

« Méchant Grec, s'écria-t-il, ne me mets pas à l'épreuve une seconde fois. Encore un mot de mépris, et nous nous quittons pour toujours. Les étoiles qui brillent sur nos têtes ne sont pas plus loin de nous que mon idole de l'haleine impure du soupçon. Je ne l'ai jamais revue; toutes mes recherches furent vaines, Les dévots qui ont pu supporter vos ricanements impies sont d'une autre race que moi. Il n'y a que votre penchant incorrigible à tout ridiculiser qui a pu vous faire oublier que les prêtresses sont aussi sacrées que les vestales du Capitole. C'était une des filles de l'autel. »

Callias fit ses excuses et parvint à calmer l'irritation de son ami. « Mais, dit-il, n'avez-vous jamais cherché à retrouver ce modèle accompli? Ne lui avez-vous jamais offert de l'épouser?

— Le retrouver! dit le Romain. Voici la seconde année que je cours l'Asie, la Grèce et l'Italie, toujours poussé par une invincible espérance. Elle a quitté le temple, hélas! et j'ai pu croire qu'elle était remontée aux cieux! Encore, si je la pouvais retrouver ici-bas, que pourrais-je faire? Mon père, à son lit de mort, me laissa le choix des anathèmes ou de sa bénédiction, si je consentais à accomplir ses désirs et à épouser ma cousine Euphrosine. Je puis dédaigner la richesse, mépriser la tyrannie, mais je ne puis fouler aux pieds les commandements funèbres d'un père. J'entends sans cesse retentir dans mon esprit effrayé sa voix qui, du fond de la tombe, me somme de lui obéir. Je n'aborde le sommeil qu'en tremblant, un sommeil court d'ailleurs et accablant; car bientôt je vois son ombre qui me menace cruellement si j'ose résister à sa volonté, devenue plus sacrée depuis que la tombe nous divise.

— Alors, chassez-la de votre mémoire», répliqua l'aimable philosophe.

Le Romain leva lentement sur son ami ses larges yeux noirs chargés de mépris. «La chasser de ma mémoire! s'écria-t-il; je n'ai pas plus le pouvoir de l'oublier que de perdre la conscience de ma vie; chaque objet me force à m'en souvenir. Musique, lumière, étoiles, les sons répandus dans l'air du soir, le balancement d'une rose, le parfum de son calice, les formes vagues qui flottent là-bas dans les nuages, tout ce qui touche mon cœur, flatte mes sens, égaye mon œil, me ramène instantanément vers elle. Non, son image sera indestructible, jusqu'au moment suprême où le sentiment lui-même sera anéanti. Vous vîtes mon émotion le soir que je soupai à votre villa de Campanie. Cette peinture de l'Olympe! — Je retrouvai dans cette Vénus suppliante devant Jupiter l'idole vivante de toutes mes pensées. L'attitude, la forme, la grâce indescriptible, tout y était, tout ce que j'avais vu dans la fatale nuit du banquet d'Ephèse. Je n'osai pas regarder plus longtemps. J'aurais adoré la vivante créature du pinceau, ou, comme un nouveau Prométhée, j'aurais, de mes lèvres brûlantes, soufflé un feu nouveau sur cette forme. Si j'avais été le maître des trésors de la terre, je les aurais donnés pour posséder cette peinture et mourir l'œil fixé sur elle. Mais, à ce moment, je crus que l'esprit sévère de mon père se dressait du fond des ténèbres, et je tombai dans la terreur et le désespoir! »

Pendant qu'il parlait avec la sombre

énergie d'un cœur brisé, Callias jetait sur lui un regard de compassion plus vive qu'il n'en avait jamais accordé à aucune face humaine. Mais pendant qu'il continuait, une pensée soudaine sembla illuminer le visage du jeune Grec. Il sourit, parut vouloir parler, renfonça ses mots comme s'il voulait les peser, fit quelques pas désordonnés sur le pavé de la salle, comme s'il voulait broyer et réduire en poussière les amours de Tithon et de l'Aurore peints en mosaïque; enfin se jeta sur un des sofas d'ivoire, et se répandit en éclats de rire.

Sempronius le regardait avec étonnement. Callias se leva de nouveau, et la même pantomime recommença; — les sourires, les phrases et les promenades interrompues, et les mêmes éclats de rire. — Sempronius présuma que son fantastique ami avait été piqué par un aspic ou une tarentule.

«Etes-vous fou, Callias? s'écria-t-il à la fin.

— Par Mercure, je le crois, répondit celui-ci. C'est bien la plus étrange aventure de ma vie dont je me souvienne; écoutez-moi. »

Mais comme le Romain s'approchait pour

écouter, l'esclave qui se tenait d'ordinaire dans le vestibule, entra pour leur dire qu'une trirème arrivée de Rome venait d'aborder au Pirée, et qu'il y avait des lettres à bord pour tous deux.

« Vous voyez, dit Callias se levant en toute hâte, voilà ce que nous avons gagné à fuir les chaudes régions de la Campanie, pas un de mes mille amis ou courtisans n'aurait eu l'aimable idée de m'écrire au pied du Vésuve. »

Callias se retira dans son cabinet pour parcourir les précieux documents qui lui arrivaient de la reine des cités sur tous les beaux, les oisifs et les fous qu'il y avait laissés. Sempronius se mit à rêver en considérant les riches reflets d'un soir de la Grèce sur la noble architecture du Pirée. La Grèce, le soir, Athènes, ont toujours été des sources poétiques chères aux faiseurs de romans depuis qu'Athènes existe, et depuis qu'elle a un nom. Sempronius était amoureux; ceci implique un millier de fantaisies; il était de plus malheureux, désappointé, bref un amant sans espoir, — l'amant d'un rêve, — une passion de visionnaire, séparée des régions de l'espérance par des barrières infranchissables. Il était amoureux d'un être aussi idéal qu'un brillant habitant des nuées; son amour était l'amour insensé d'un homme qui voudrait faire descendre Diane de la sphère où elle trône glorieusement sur le bord des cieux. Une prêtresse du grand autel d'Ephèse était aussi loin qu'une étoile de l'approche des mortels.

Pendant qu'il s'abandonnait à son imagination, et qu'il flottait sur les rêves du poète et de l'amant, — rêves qui, par une loi inexplicable de notre nature, ont toujours une teinte de mélancolie, même dans leurs plus splendides rayonnements, et qui ne sont les plus délicieux des rêves que grâce à cette même mélancolie, — Callias ayant lu ses lettres, reparut avec un air mêlé de plaisir et de peine.

« Sempronius, dit-il, êtes-vous suffisamment préparé à apprendre que votre chaîne est rompue?»

Le jeune Italien sortit brusquement d'un songe où il était ravi, et où il écoutait la voix de la belle Ephésienne, renvoyée par l'écho des voûtes du temple. Il répondit avec un triste sourire que toutes choses lui étaient désormais indifférentes.

« Alors, je puis vous raconter tout ce que je viens d'apprendre, lui dit son ami. — Je suis sûr qu'au moins je n'ajouterai pas à vos chagrins : lisez cette lettre, qui est de votre proche parent Catullus; elle m'informe que votre cousine est morte. Elle était tombée dans un état de singulière faiblesse qu'on attribuait à un voyage imprudent dans les bois d'Ostie, où les chaleurs de l'été engendrent des miasmes mortels; et dans un des paroxysmes de la fièvre, elle s'est précipitée elle-même dans le Tibre, un soir qu'elle était allée, suivant sa dangereuse habitude, respirer le frais sur les bords; le corps de la malheureuse jeune fille a été trouvé une semaine avant le départ de cette lettre; Catullus décrit la cérémonie des funérailles, avec sa minutie accoutumée dans toutes les affaires de forme et d'étiquette. Il était un des principaux invités, ce dont il est évidemment très fier; et il me donne un compte exact de chaque litière, de chaque cheval, et ma foi, je crois, de chaque guirlande qui ornait ces pompeuses funérailles.»

Les deux amis gardèrent quelque temps le silence, et accordèrent chacun la part de tristesse que réclamaient les bienséances et le destin inattendu de l'innocence et de la jeunesse. . . . .

« Et maintenant, dit Callias, à Ephèse !»

. . . .

. . . .

La nuit était glorieusement belle : la trirème, s'élançant hors du Pirée, laissait derrière elle une longue trace de lumière, comme une charrue qui sillonnerait de l'argent fondu. Les deux amis se tenaient à la poupe, regardaient les cieux, les eaux tranquilles et les nobles sommets de l'Attique, et voyaient tous les objets fuir autour et derrière eux, comme s'ils voyageaient sur un nuage et flottaient sur le sein des airs. Les lumières et le bruit du port s'éteignirent graduellement, et la lune se leva. Le Parthénon se dressa sur sa colline, dans la clarté de la lune, pâle, solennel et solitaire, comme un majestueux esprit en vedette et veillant sur tout le pays. Les matelots se préparèrent pour la nuit, et, pendant que le navire évitait les grosses lames qui signalent le promontoire de Sunium, commencèrent l'office du soir à Pallas-Athénée. Ils éclairèrent le petit autel qui supporte son image à la proue du bâtiment, et brûlèrent en son honneur de la cannelle et de l'encens, qui baignèrent bientôt d'un nuage parfumé les flancs tapissés du navire. Callias songea alors au repas du soir, et descendit dans une élégante cabine pour y ordonner un souper digne d'une trirème impériale. Sempronius se drapa dans son manteau militaire et resta les yeux fixés sur la constellation du Taurus, qui faisait étinceler fièrement sa couronne de topazes; mais ses pensées étaient égarées bien loin de là. A la vue d'un petit temple situé sur le front sourcilleux du Sunium, le pilote sonna de la trompette, et à ce signal l'équipage entonna l'hymne à la déesse protectrice de l'Attique :

« Ecoute-nous, aimable Minerve, écoute-nous du fond de la sphère tressée d'étoiles qui entoure et protège comme une zone de feu les trônes dorés de Jupiter et de Junon !

« Pendant que nous fendons les vagues ténébreuses, enchaîne les tempêtes dans leurs cavernes, jusqu'à ce que ta torche brûle sur la montagne, signal de notre heureux retour;

« Jusqu'à ce que ta torche brûle sur la montagne, comme la chevelure agitée des nymphes des bois qui jette des clartés mouvantes dans l'air;

« Jusqu'à ce que la chanson du toit domestique nous réponde et gonfle la brise joyeuse, s'élevant dans un saint accord vers ton temple de marbre à la clarté de la lune!

« Déesse de la lyre couronnée de lauriers, fais que la clarté funèbre de l'éclair et la flamme oblique de la foudre ne sillonnent jamais notre glorieuse trirème, depuis l'heure où le matin enfant naît dans son berceau de roses, jusqu'au moment où le soir tire les rideaux de son pavillon sur le ciel, la terre, et les nuages de l'océan, enflammés et dorés comme les îles des bienheureux.

« Ô Minerve! fais que notre valeureuse proue fende, saine et sauve, les plus terribles vagues. Fais que nos blanches voiles ne portent dans leur sein que des brises favorables, jusqu'à ce que nous ayons, à travers la succession des calmes et du vent, regagné le logis bienheureux!

« Ecoute la chanson du matelot jovial, ô reine vierge de la glorieuse Athènes!»

L'hymne cessa, et l'office du soir se termina par une grande fanfare de flûtes et de trompettes. Quand tout fut calme, et qu'on n'entendit plus que le bruit cadencé des rames qui frappaient les ondes, un soudain et puissant éclat de trompette retentit du promontoire; une longue flamme rose, d'une riche couleur, trembla un moment sur le fronton du temple, et disparut ensuite dans les hauteurs du ciel.

Les matelots tombèrent sur le visage, et reçurent ce signal comme la réponse familière de la déesse. Quelques-uns crurent voir la figure de Minerve, debout dans la flamme au-dessus du promontoire. Tous prirent la chose comme un heureux augure de leur voyage dans les parages asiatiques...................

....

. . . .
. . . .
. . . .

Le prêtre de Diane résistait avec courage à
l'éloquence des deux amis qui voulaient abso-
lument voir la prêtresse du sanctuaire. C'est au
fond de ce sanctuaire que l'image de la déesse,
qu'on dit descendue du ciel, est gardée par différentes prêtresses qui, en l'honneur d'elle,
veillent à sa garde, veillent sans voile et le visage
découvert. Plus leurs arguments étaient pres-
sants, plus le rigide prêtre se reprochait comme
un crime de les écouter. Callias lui offrit une
bourse pleine d'or de Thrace. L'aruspice n'eut
pas plus tôt senti qu'elle touchait sa main, qu'il
la jeta par terre, comme s'il avait été piqué par
un aspic, et s'enfuit. Sempronius, désespéré de
voir fuir avec lui sa dernière espérance, courut
après lui, et le retint violemment par sa robe.
La main qui avait empoigné l'incorruptible
ministre de Diane était ornée d'une magni-
fique émeraude. Ses yeux se fixèrent subitement sur elle. Il se retourna. Le diamant passa
silencieusement et mystérieusement à son

doigt. Sans dire un mot, il tira de sa robe de pourpre une petite clef, et ouvrant une porte basse à peine visible dans les sculptures de la muraille, introduisit sans bruit les deux jeunes gens dans les profondeurs du temple.

Le temple de Diane à Ephèse était le plus célèbre lieu de dévotion du monde. Callias fut heureux et enorgueilli de se sentir sous la voûte de cette fameuse enceinte, dont l'entrée avait été refusée à des rois, et qui recelait dans ses flancs plus de trésors que plusieurs royaumes. — Les offices de la journée étaient finis. Les portes de bronze du colossal édifice avaient été fermées sur le peuple; tout était nuit, silence et solitude. Callias put alors se convaincre qu'il était dans un lieu dont la magnificence surpassait encore la renommée. Les feux du grand autel étaient mourants, et la multitude des petits autels, où les victimes avaient été offertes toute la journée, brillaient au loin comme une myriade d'étoiles évanouies. C'était à chaque pas de telles perspectives d'arcs et de colonnades, fouillés par l'habileté patiente du ciseau asiatique, et formés de marbres et de métaux

37

brillant de toutes les couleurs du ciel et de la terre, et que la faible lueur contenue dans le temple rendait encore plus fantastiques; — une telle profusion de statues d'albâtre et d'ivoire, dont les multitudes, armées vivantes de noblesse et de beauté, peuplaient les immenses espaces; — une telle abondance de bannières de pourpre brochées d'or, religieuses offrandes du monde entier, suspendues au-dessus des autels, qui eux-mêmes étaient enrichis de pierres précieuses, et dardaient leur éclat sur des tapis brodés venus de Tyr et du fond de l'Inde, — c'était enfin une richesse si désordonnée et si inconcevable, que l'homme le plus froid et le plus blasé du monde s'échappait à chaque instant en cris de joie et de surprise! Quant au Romain, enveloppé dans les pensées de son cœur, subjugué par sa mélancolie et plus encore par le sourire de son espérance, il regardait tout d'un œil étonné comme si c'eût été une vision. Il considérait les voûtes et les piliers éblouissants comme l'œuvre d'un magicien, et il prêtait l'oreille aux vagues échos de harpes et de flûtes, qui, de temps en temps, s'échappaient des salles les plus reculées, comme il eût écouté des chœurs montant des bosquets de l'Elysée. Tout était délices profondes dans le cœur de l'amant, jouissance rêveuse, ébahissement muet d'un esprit soulevé et transporté par la puissance de l'imagination aux dernières perspectives du bonheur.

Le prêtre alors prit son chemin vers une retraite plus profonde et plus secrète. Sempronius le suivait, quand il sentit tout à coup Callias qui le tirait violemment en arrière. A la pâle lueur d'une lampe, il vit qu'il tirait à moitié son épée avec un signe non équivoque. Le Grec connaissait évidemment le danger de la foi asiatique. Le lieu n'était peut-être qu'un coupe-gorge, propre à dévaliser et à tuer les gens; Sempronius sourit comme si le présent et l'avenir lui étaient également indifférents, et s'enfonça dans les ténèbres. Le Grec fit une pause; puis, tirant entièrement son épée du fourreau, suivit lentement la trace de son entêté compagnon. Le passage était long et difficile; à la fin, il s'abîmait dans une pente, et la lumière fut totalement éclipsée. Ils arrivèrent à une petite porte. La voix du prêtre se fit de nouveau entendre dans une espèce de chuchotement : « Il faut que vous m'attendiez ici jusqu'à ce que je revienne. » A ces mots il s'éloigna.

« Et maintenant, dit Callias, nous n'avons que ce que nous méritons! nous ne pourrons jamais, que je pense, donner à l'humanité la morale de notre insigne folie; car ce prêtre pensera, — ou je me tromperais fort, — que nous avons eu déjà bien assez de gloire en ce monde, sans y rajouter celle de raconter les merveilles et les circonstances de notre évasion. Quelle pitié, vraiment, de n'avoir pas suivi mon avis et mon premier mouvement, qui était de donner du fer à ce mécréant en plein diaphragme, avant qu'il nous attirât ici pour y crever comme un couple de chiens affamés! »

Sempronius protestait toujours que le prêtre était honnête. — Une heure s'échappa, puis une autre, et il ne revint pas. — Callias, à la longue, essaya de se frayer une route et de remonter vers l'entrée; mais on eût dit que le voyage était devenu doublement difficile depuis qu'ils étaient descendus. Au bout de quelques pas, le passage était obstrué par de larges blocs de pierres.

« Pour le coup, s'écria-t-il, la trahison est évidente! Ce sont ici des catacombes, et nous pouvons décidément, comme d'autres fantômes, y rôder à tout jamais. Exquise et bonne folie! Ne pas avoir reconnu que ce prêtre n'oserait pas plus trahir les secrets de son temple qu'il n'oserait voir une épée en face! mais il s'est tiré de cette difficulté d'une manière supérieure. — Et maintenant nos occupations ici doivent se réduire à rôder jusqu'à ce que nous tombions dans quelque fosse, ou à mourir tranquillement de faim, courbés sur ces pierres!»

Mais l'esprit de son ami, naturellement plus élevé et plus pur, était déjà monté plus haut. « Callias, dit-il, votre froide et mauvaise philosophie vous fait vous défier de tout, même de vous. Quant à moi, je n'ai pas tant de choses qui m'attirent là-haut, pour que cette prison me cause tant d'angoisses. Le prêtre est décidément un coquin. J'aurais dû savoir que celui

41

qui peut se laisser corrompre par de l'or ou par une bague peut trahir ses corrupteurs. Il nous a laissés ici pour y mourir, mais la mort est la dernière ressource de l'homme courageux. Levez-vous, et au moins ne cédons pas notre vie sans la disputer fièrement!»

L'âme du Grec était noble; l'homme du monde était mort en lui, et il serra la main de son ami avec la main du brave. « En avant donc!» s'écria-t-il.

Sempronius marcha le premier; mais le passage était obstrué, et les difficultés croissaient à chaque instant. Enfin il fut impossible d'aller plus loin. « Maintenant, s'écria le Grec avec une voix où une gaieté méprisante se mêlait à un sombre désespoir, l'expérience est complète! A quoi bon nous briser les os à grimper sur des rochers qui ne peuvent nous conduire qu'au centre de la terre! Voyons, prenez-moi cette épée, et rendez-moi le dernier service d'un Romain à son meilleur ami!»

Sempronius prit l'épée en silence et la brisa sous son talon. La lame fit jaillir de la pierre quelques étincelles, à la lueur fugitive desquelles ils reconnurent qu'ils étaient au centre d'une vaste voûte d'où rayonnaient plusieurs chemins dans différentes directions. Ils s'enfoncèrent dans celui qui paraissait s'étendre le plus loin et aboutir à l'air extérieur. « Ami, dit Callias, souvenez-vous que je ne suis pas un homme de patience; je veux bien vous suivre encore; mais si nous ne devons user nos sandales que pour trébucher sur des tombes, j'insiste pour qu'il me soit accordé de me reposer de mes fatigues à ma manière.

— Je demande encore un instant, s'écria énergiquement le Romain, et, après, vous pourrez me servir de guide dans les régions de l'éternel repos, où les malheureux oublient et sont oubliés. »

Comme il achevait ces mots, un faible cri, suivi d'un bruit de pas précipités, frappa leurs oreilles. Ils s'arrêtèrent. Un rayon de lumière tremblait dans les profondeurs du labyrinthe, et tous deux se précipitèrent en avant. Le rayon tremblait toujours et filtrait toujours à travers les fentes d'une porte très mince. Sempronius regarda au travers, poussa un cri, et se précipita dans la salle. Une femme était debout, les bras liés. Devant elle, un petit autel était allumé; sur l'autel, un couteau. Le prêtre, qui avait trahi les deux jeunes gens, regardait la victime humaine avec l'œil fixe de la cruauté. Un groupe de spectres, aux regards mélancoliques, aux manteaux longs et ténébreux, assistaient à l'œuvre de sang. Quand Sempronius apparut, la femme leva ses yeux et se précipita vers lui. Le prêtre se saisit du couteau et voulut lui en porter un coup au sein; mais ce coup terrible ne devait pas aller à son but. Callias avait conservé le tronçon de son épée, et le plongea jusqu'à la garde dans le flanc du meurtrier. Il tomba en rugissant et expira à leurs pieds. Tous les spectres tirèrent leurs épées. En un clin d'œil tout ne fut que mêlée, rumeur, carnage! ......

....
....
....

La trirème entrait dans le Pirée, et Callias voulait que son malheureux ami consentît à y rester; mais Sempronius, horriblement blessé, et portant avec lui la plus incurable des plaies,

— un cœur brisé, — implorait la faveur d'être transporté en Italie pour y rendre son dernier souffle et dormir dans le sépulcre de ses pères. Callias oubliait toute sa philosophie quand il était assis au chevet du noble jeune homme, et pleurait quand il l'entendait radoter les étranges et diaboliques délires, que lui suscitait son imagination grosse de passion et de désespoir.

« Il me semble, disait le Romain, que cette victime se tient chaque nuit à côté de ma couche, et adresse à ces monstres des paroles de pitié. Dans le labyrinthe, je l'ai reconnue tout d'abord, accoutrée et échevelée comme elle l'était. Elle a été la première et elle sera la dernière maîtresse de mon cœur. Mais dites-moi tout ce que vous avez appris sur elle : dites-le moi encore et redites-le-moi toujours, afin que je meure en l'entendant nommer ! »

Callias alors passait une heure à lui répéter que la belle prêtresse l'avait vu par hasard au banquet du proconsul; l'avait aimé avec une passion involontaire et l'ignorant elle-même, comme lui; et que finalement, son secret lui

ayant échappé, elle avait été marquée pour la vengeance de la déesse, comme une prêtresse révoltée. Le simple désir de quitter le temple était un crime impardonnable. Mais la vengeance de la divinité était regardée comme incomplète jusqu'à ce que l'objet de cette passion fût également sacrifié; ce qui expliquait la promesse du prêtre de les introduire dans le sanctuaire; il les avait ainsi pris au piège pour servir de victimes expiatoires, et ils avaient été réservés au couteau sacré. A la suite du combat qui avait eu lieu dans la salle du sacrifice, après une dépense fort inutile d'intrépidité, ils avaient été capturés, jetés dans une tour, délivrés sans savoir comment et cherchant un refuge dans le palais du proconsul; celui-ci leur avait fait quitter l'Asie en toute hâte. La prêtresse avait sans doute péri. . . . .
. . . .
. . . .

Sempronius était couché sur un lit orné d'ivoire et enrichi de perles; les rideaux qui le garantissaient du soleil étaient en soie de Perse; une statue de nymphe en argent, tenant à la main des rênes de lapis-lazuli, et traînée par des chevaux marins de béryl, laissait tomber un filet d'eau parfumée d'une urne de cristal d'Antiparos; le pavé de la chambre était jonché de roses. Les murs étaient couverts des plus brillantes peintures de l'art grec. Tout respirait la puissante et délicate profusion de la vie patricienne. Mais tout cela était peines perdues. L'esprit du jeune homme était à Ephèse, dans le caveau où il avait vu cette forme d'exquise beauté près d'être anéantie sous le couteau du fanatisme et du crime.

Callias entra subitement dans cette délicieuse retraite et demanda, avec son ton ordinaire, comment le malade se trouvait des soins du nouvel empirique, qui était venu pour le sauver de son obstination et de sa bonne volonté à mourir.

Sempronius sourit tristement et prit la main de son ami; puis il lui dit d'une voix pleine d'émotion : « Callias, je crois que j'ai le cerveau aussi libre que qui que ce soit d'idées superstitieuses, mais il y a dans cet étrange médecin quelque chose au-dessus de l'homme.

Quelque sauvages que soient les accents de sa voix, quelque repoussante que soit sa physionomie d'Ethiopien, il a le don de scruter la nature humaine avec un pouvoir despotique. Actuellement il lit dans mes pensées. Il n'est pas moins maître des secrets de la nature.

« Je tremble presque en sa présence de l'idée que je suis entre les mains d'un être supérieur à mes facultés mortelles.

— Ah! vraiment, il se mêle de magie, fit Callias avec le ton du dédain.

— Je n'ai point de secrets pour vous Callias. Je l'ai prié de me montrer une fois encore la vision d'Ephèse, une fois avant de mourir!» . .

. . . .

. . . .

Sempronius entra dans la salle le premier. Tout était noir; mais Callias apporta une petite lampe sous sa robe et murmura: « Ceci ressemble suffisamment à notre vieille affaire du labyrinthe; mais j'éprouve une certaine curiosité de voir comment votre Ethiopien, ce maître en magie, manégera ses démons. » Comme il parlait, une petite flamme bleue pâle monta et s'arrêta au centre du plafond. Ils virent alors qu'ils étaient dans une vaste salle de forme circulaire. Des sons d'instruments d'un effet très doux, se faisaient entendre auprès d'eux, et semblaient sortir du fond de la terre, sous leurs pieds. Un brouillard s'éleva rapidement devant eux, flottant à droite et à gauche sur les parois de la chambre, et enfin s'arrêta au-dessus de leurs têtes. Une voix qui semblait partir du milieu de ce nuage leur demanda quel était l'objet qu'ils désiraient le plus voir.

« Au nom de tout l'Olympe, mon souper! » cria Callias avec un éclat de rire. Un sourd roulement de tonnerre témoigna qu'il avait fâché l'Esprit, et la lumière s'éteignit à l'instant.

La voix répéta la question. Sempronius prononça, en tremblant, le nom de « la prêtresse d'Éphèse! ».

Une musique riche et douce ondoya de nouveau sur les vagues de l'air. Une muraille de l'appartement sembla disparaître et s'ouvrir sur la mer, au soleil couchant. Ce n'était pas la mer languissante qui caresse les rives de la Campanie; c'était la mer agitée et clapoteuse de la Grèce. Une longue rangée de constructions en marbre, surmontées de statues merveilleuses, s'élevait du sein des eaux. Callias s'écria : «Le Pirée!» et montra du doigt, avec un geste d'étonnement, la trirème qui semblait fendre les flots et s'élever vers la pleine mer.

« Ses démons sont merveilleusement obéissants, murmura Callias. Mais où veut-il en venir?»

La trirème s'avançait dans les îles et fendait l'onde comme si elle avait eu des ailes. Elle aborda aux rives d'Ionie. Sempronius sentit battre son cœur, quand il revit les glorieux rayons de ce ciel d'Asie, illuminant la terre bien connue de ses rêves. Le sortilège continuait victorieusement. Deux belles figures, un Grec et un Italien, parurent sous les ombrages de cyprès qui entourent le temple de Diane. Une troisième figure survint, les emmena, et toutes trois plongèrent dans les ténèbres.

« Pour le coup, dit Callias à l'oreille de son compagnon, s'il nous fait voir tout ce qui s'est passé dans les catacombes, ce ne peut être que le vilain prêtre lui-même ou le prince des magiciens; mais le prêtre ne jouera plus longtemps son rôle d'imposteur; j'ai son affaire. »

A ces mots, une ligne de lumière glissa à terre et fit voir un passage étroit, dans lequel nos deux spectateurs reconnurent tout d'abord la caverne où ils avaient failli laisser leurs os; plus loin apparut une autre salle, une victime, un prêtre et toute une troupe de gens dans un attirail mélancolique.

Sempronius poussa un grand cri, quand la victime, jeune, belle, séduisante, les yeux fixés sur le fatal couteau, tomba sur ses genoux pour demander grâce. Il s'efforça de s'élancer vers elle; mais ses efforts furent vains, il se sentit pris d'une faiblesse et se laissa tomber dans les bras de son ami.

Quand il rouvrit les yeux, la scène était changée; un jardin verdoyant et fleuri étalait devant ses yeux son luxe de végétation orientale; des fleurs et des fruits embaumaient l'air de leurs parfums exotiques. Le paysage s'anima de figures vivantes; un groupe de nymphes se mit à danser au son des instruments qu'elles portaient dans leurs mains, et quand leur ronde s'ouvrit, elle laissa voir au milieu un trône fort simple qui n'était paré d'autres étoffes et pierreries que des mousses et des fleurs de cette délicieuse retraite. Sur le trône était une jeune reine en costume champêtre, son œil était baissé vers la terre, et un jeune Amour lui chuchotait ses enchantements à l'oreille; la scène du banquet du proconsul apparaissait pour la seconde fois devant les yeux émerveillés de Sempronius.

Son émotion devint irrésistible, il s'élança vers la vision; mais cette fois ce n'était pas une vision faite d'air et de fumée. Une femme, une vraie femme, soupirante, rougissante, belle, charmante, tomba dans ses bras, avec son trouble et ses larmes! La prêtresse, le magicien, Euphrosine, n'étaient qu'une seule et même personne!....................................
....
....

« Contemplez mon bonheur, incrédule ami», dit Sempronius en jetant un regard de passion indicible sur la beauté de sa femme qui tenait déjà un bel enfant entre ses bras.

Notre épicurien touché, mais souriant toujours, murmurait tout bas l'hymne sentimental de l'excellent poète latin :

C'est l'heure favorable aux baisers; la tempête
Qui blasphème le ciel et fait trembler le faîte,
Invite les bons vins du fond de leur grenier
A descendre en cadence au conjugal foyer.
Un l'intime chaleur de l'âtre qui pétille
Sert à rendre meilleurs les pères de famille,
Et la foudre fera, complice de l'amour,
L'épouse au cœur tremblant docile jusqu'au jour.

« Le dénoûment prouve en votre faveur, repartit décidément le jeune Grec, mais je vous dirai : Trouvez-moi une jeune cousine, que je haïsse d'abord, sans la connaître, aussi fortement que vous; qui m'aime d'un amour romantique comme la belle Euphrosine vous a aimé, sans savoir si vous étiez même digne d'un soupir; qui se sauve de son pays, qui se fasse passer pour morte, pour me donner toute liberté de jouer le fou selon ma fantaisie; qu'elle devienne prêtresse, et qu'après m'avoir sauvé des griffes d'une vilaine confrérie de moines assassins, elle ouvre les portes de ma prison et me suive à travers les mers; qu'elle sacrifie pour moi la dernière vanité d'une femme, c'est-à-dire sa beauté, et qu'elle se métamorphose en négresse et en sorcière pour me sauver; qu'elle soit mille fois plus sorcière encore par le charme de ses regards, et qu'elle se jette dans mes bras, alors…

— Et alors, dit Sempronius avec un œil brillant de joie, alors, vous épouserez comme moi l'idole de votre âme!

— Oui, dit Callias en riant, alors je serai peut-être votre homme, si je ne me suis pas d'abord pendu pour me punir d'être un tel fou, que de vouloir me donner tant de peine, quand, pour jouir du même bonheur, je n'avais qu'à me laisser faire.»

La jeune mère l'entendit, et jetant un regard de tendresse sur son mari, elle dit avec une voix douce comme une musique : « Chaque épreuve nouvelle n'est-elle pas une sanction de plus à l'amitié? Souffrir les angoisses d'une heure, n'est-ce pas acheter à bon marché toute une vie d'amour?

— Oui! Pour vous, ma belle Euphrosine, je voudrais être mort un millier de fois!» s'écria Sempronius avec l'éloquence naïve du cœur, et en pressant cette noble beauté sur son sein.

— Oui, répétait Callias, en se pinçant la lèvre et avec un air de gravité comique; à la bonne heure! mais, au nom de l'Amour et de Vénus, encore une fois je vous le demande, pourquoi se donner tant de peine?»

Dépôt légal : Novembre 1993
Achevé d'imprimer sur les presses de Policrom S.A.
Tanger, 25 - 08018 - Barcelone
Espagne
ISSN 1243-0382 — ISBN 2-84099-014-8